KB096543

# 띵디쌤 그림일기

만보
띵디

## 작가의 말

'떵디쌤 그림일기'. 떵디쌤이 그림을? 이젠 하다 하다 별짓을 다 한다. 부디 귀엽게 봐주시길. 반백 살 꼬마가 부들부들 떨리는 손으로 끙끙대며 그린 그림들이다.

드로잉은 갤럭시탭의 '스케치북' 어플을 이용했다. 한땀 한땀 정성껏 스케치했지만 초보 실력이 어디 가겠는가. 일기는 일 년 동안 벌어지는 교내 여러 에피소드를 정리했는데, OpenAI GPT-4 Omni와 협업하였다.

학교에서의 일 년은 눈 깜빡할 새도 없이 화살처럼 지나간다. 하지만 그 순삭의 시간 속에서도, 우리 아들들은 시간의 테두리 바깥에서 오늘도 숨이 차게 춤을 출 것이다. 나의 소중한 아들들아, 영원히 응원하고 격하게 사랑한다. 떵디~♥

– 샬롬 떵디 ☕

---

☕ Think Different(띵크 디퍼런트)를 저자가 재치 있게 줄여서 부르는 말로, 애플사가 만든 광고 문구. 스티브 잡스의 대표적 창의적 멘트

4

# 차례

작가의 말

6

## #1. 입학식


호기심 반, 어리바리 반. 반반 치킨 안 시켰는데… 올해도 어김없이 배달된 새로운 종족! 신학기 블록버스터의 서막이 열렸다. 기대하시라. 개봉박두! 4천만 관객이 본 〈범죄도시〉가 울고 갈 압도적 스케일. 〈사랑과 전쟁〉 남편이 아닌 '남고'편이 시작된다. 그들이 온다. 헉! 첫날부터 하드코어 질럿 러쉬 기습 공격이다. 나는 누구? 여긴 어디? 새 교문을 들어서면 새로운 세상이 펼쳐진다. 멋진 친구들, 무서운(?) 선생님들. 담임 선생님의 강렬한 첫인상까지. 처음엔 낯설겠지만 곧 적응하게 될 거야. 아들들아, 건투를 빈다. 이 또한 지나가리라. 이곳에 평화를 내려주소서. 샬롬♡

#2. 동아리

기대 반, 고민 반. 메뉴는 엄청 많은데 반반 피자 같은 건 안 보인다. 학교는 오늘도 동아리 홍보 전쟁이 한창이다. <해리포터> 호그와트처럼 신비로운 동아리들이 기다리고 있다. 교실 게시판에 덕지덕지 도배된 포스터마다 다양한 동아리의 매력이 차고도 넘친다. 고민하지 마라. 하나는 확실하다. 어떤 동아리를 골라도 후회는 없다. 스포츠, 과학, 음악, 미술, 인공지능까지! 어디에 들어가든, 너희들은 이미 주인공이다. 아들들아, 오늘도 모험의 시작이다. 너의 선택이 바로 전설을 만든다. 이 선택에 축복을 내려주소서. 아멘.

## #3. 첫 급식

설렘 반, 두려움 반. 마치 인생 첫 번째 빙고 게임을 하는 기분이다. 오늘의 메뉴는 너희를 위한 미지의 세계로의 초대장. 우리 학교에서의 첫 끼니, 설레는 줄서기부터 시작한다. 〈식신〉 대부가 울고 갈 엄청난 맛의 향연. 헉! 첫 숟가락부터 입안에서 춤을 추는 밥알들, 와! 국은 마치 엄마의 따뜻한 포옹 같고, 반찬은 매일 아침 새로운 시작을 알리는 해처럼 눈부시다. 아들들아, 이것이 진정한 먹방의 시작이다. 이 또한 즐거움으로 남으리라. 이곳에 맛있는 하루를 내려주소서. 할렐루야♡

## #4. 회장 선거

기대 반, 긴장 반. 마치 세기의 대결을 눈앞에서 보는 기분이다. 학교의 새로운 리더를 뽑는 시간, 너희의 선택이 역사를 만든다. 대한민국 대통령도 울고 갈 엄청난 정치 드라마가 시작된다. 첫 연설부터 불꽃 튀는 경쟁, 헉! 삭발을 예고하는 후보자들의 열정적인 호소에 강당이 뜨겁게 달아오른다. 아들들아, 각자의 신념을 따라 투표하라. 진정한 리더는 바로 너희들의 선택에서 태어난다. 이 또한 학교의 역사를 새로 쓸 것이다. 이곳에 정의로운 리더를 보내주소서.

## #5. 리더십 캠프

대표로 뽑힌 우리 학교 기대주들. 마치 인생의 새로운 챕터를 여는 느낌이다. 리더십 캠프, 미래의 리더들을 위한 특별한 시간. <어벤져스>도 울고 갈 슈퍼 히어로 공동체 훈련이 시작된다. 첫 워크숍부터 창의적 에너지를 마음껏 발산하는 아들들, 헉! 밤새 이어지는 팀 빌딩 활동에 몸은 피곤하지만 마음만은 불타오른다. 아들들아, 서로의 가능성을 발견하라. 리더십은 너희 안에 이미 존재한다. 이 또한 엄청난 성장의 발판이 될 것이다. 이곳에 강력한 리더십을 부어주소서. 아멘.

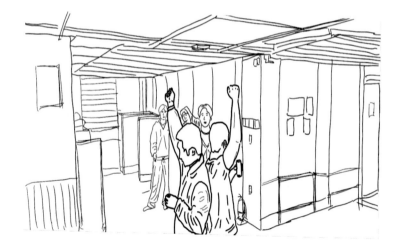

## #6. 상담 주간

마치 인생의 숨겨진 보물을 찾는 기분이다. 담임 선생님과의 진솔한 대화로 포문을 연다. 내면의 세계를 탐험하는 시간. 첫 상담부터 마음속 깊은 이야기를 꺼내놓는 아들들. 삼촌이나 큰형, 이모나 누나 같은 담임쌤의 따뜻한 눈빛과 조언이 마치 새벽녘의 별빛처럼 다가온다. 아들들아, 마음의 짐을 덜어라. 이 또한 너희의 성장을 위한 길이니. 서로를 이해하고 도우며, 함께 나아가길 바란다. 이곳에 평안한 마음을 허락하소서. 샬롬♡

## #7. 중간고사

기대 반, 두려움 반. 마치 인생의 중요한 관문을 통과하는 기분일 것이다. 실력을 시험하는 시간, 중간고사. <인셉션>처럼 긴장감이 감도는 교실, 아들들아 준비됐나? 너무 긴장하지 말고, 쉬운 문제부터 차근차근. 쫄리면 죽는다. 헉! 문제지를 마주한 순간, 머릿속 지식들이 칼춤을 추기 시작한다. 아들들아, 그동안 갈고닦은 실력을 맘껏 발휘해라. 이는 너희의 커다란 성장을 위한 작고 좁은 문이니. 이곳에 지혜와 집중력을 내려주소서. 이전 것은 지나갔으니, 내일 새 과목에 최선을 다하자. 화이팅!

#8. 스포츠 한마당


기대와 흥분이 교차하는 날. 가출했던 아들도 구기대회 축구 시합을 위해 학교에 나오게 하는 그들만의 축제. 운동장에는 <프리미어 리그>의 열기가 느껴지고, 선수들과 응원단은 기대와 흥분으로 가득 차 있다. 준비는 되어 있나, 우리의 용사들아? 너희는 이미 승리자이며, 이 경기장은 너희의 독무대다. 경기 시작 신호와 함께 열정은 폭발하고, 경쟁의 과정에서 자신의 한계를 넘어선다. 승리를 위해 최선을 다하라. 승패의 결과는 중요치 않다. 스포츠 한마당은 너희들의 성장과 행복을 위한 특별한 시간이니. 이곳에는 열심과 기쁨뿐만 아니라, 친구들과의 소중한 추억이 함께하는 우정이 있을 것이다. 파이팅!

## #9. 스승의날

모교에서의 스승의날은 참으로 특별한 순간이다. 나의 은사님과 내가 가르친 제자들이 이제는 동료 교사로 학교에 함께 근무한다는 사실은 마치 삼 대가 함께하는 대가족 같은 묘한 기분을 준다. 아침 출근길에 학생회 제자들이 직접 만든 색종이 카네이션을 받는 순간, 쑥스러운데 동시에 대견한 마음이 우러나온다. 교실에서는 담임쌤과 교생쌤에게 감사와 존경을 표현하는 파티가 진행 중이다. 이 특별한 날, 우리 아들들은 스승님들의 가르침과 사랑에 대한 감사를 전하며, 그들의 따뜻한 마음에 대한 존경을 표현하기 위해 정성을 다한다. 스승님들의 가르침은 이 땅의 학생들에게 인생의 길잡이가 되어주는 값진 보물이며, 이를 통해 우리는 서로를 보듬는 한 가족이 되는 것을 느낄 수 있다. 오후 단축수업은 덤이다. 초등학교, 중학교 선생님 찾아뵐 수 있도록. 종례 끝!

## #10. 합창대회

오늘은 합창대회의 날. 5월 한 달간 목청껏 불
렀던 노래들이 세뇌되어, 툭! 치면 탁! 하고 나
온다. 하늘나라 천사들이 내려와 하나님의 은총
같은 복된 소식을 전한다. 아침부터 연습하는 노
랫소리들. 교정에 울려 퍼지는 천상의 멜로디.
연습할 때는 그렇게 못하는 것 같더니만, 무대
에 오르니 반전도 이런 반전이 없다.

아들들의 목소리는 마법처럼 하나로 어우러져 고요한 공간을 충만하게 채웠다. "와, 저 반은 진짜 잘하네. 입상하겠는걸?" 감탄이 절로 나온다. 목표는 오로지 인기상인 어느 반은 띵디하게 몸으로 노래한다. 곳곳에서 웃음이 터졌다. 공연이 모두 끝나고 나서는 각반마다 홀가분한 마음과 해냈다는 자부심이 파도처럼 일었다. 합창으로 하나가 된 날. 앞으로도 더 많은 도전을 친구들과 함께 해나가렴. 혼자는 힘들지만, 함께는 덜 힘드니까. 더불어 같이 가즈아!

## #11. 교생 선생님

교생 실습 마지막 날. 학교에 들어서는 순간부터 슬픈 이별의 그늘이 내려앉았다. 처음 만났을 때, 아이들은 친한 형, 누나처럼 반갑게 맞아주었고, 그들의 따뜻한 마음은 5월 한 달을 축제의 시간으로 만드는 마법 같았다. 마지막 조회 시간. 칠판에는 '교생쌤 사랑해요, 영원히 잊지 못할 거에요. 우리를 기억해 주세요. 꼭 다시 만나요.' 형형색색의 분필로 쓴 편지글이 교생쌤의 마음을 사정없이 울린다. 교생쌤의 눈물에 "울지마, 울지마!"를 외치는 순수한 아이들. "제가 여러분을 가르친 것이 아니라, 여러분에게 제가 더 많이 배우고 갑니다. 고맙습니다." 함께 동고동락하며 지낸 짧디짧은 한 달이지만, 아들들의 성장과 변화를 지켜볼 수 있었던 참으로 소중한 시간이었다. 반 아이들 한 명, 한 명을 떠올리며 준비한 작은 선물을 건네며 서로의 손을 잡고 웃으며 인사한다. 너희들과의 추억은 영원히 교생 선생님 마음속에 남을 거야. 그러니 너무 슬퍼하지 마. 서로의 축복을 빌렴. 안녕.

## #12. 런치 콘서트

오늘은 런치 콘서트의 날. 음악가의 꿈을 꾸는 학생들과 이들을 응원하는 선생님이 점심시간을 활용해 노래나 연주를 하는 특별한 이벤트는 학교의 분위기를 한층 화사하게 만든다. 첫 번째로 무대에 오른 아들은 멋진 랩으로 무대를 장악했다. 우리 학교 스타인 그가 마이크를 잡자 무대는 환호로 가득 찼다. 다음으로는 과학 선생님의 충격적인 노래 실력이 공개되었다. 수업시간에는 상상도 못한 반전의 모습을 발견하는 순간이었다. 다음은 피아노 전공을 희망하는 피아노 천재가 무대에 오르자 마음이 따뜻해졌다. 그의 연주는 마치 천사의 노래처럼 우리의 마음을 감동시켰다. 런치 콘서트를 통해 우리 아들들의 다양성과 재능을 발견하고 공유하는 아주 뜻 깊은 기회가 되었다고 자신한다.

## #13. 사제동행 마라톤

오늘은 기다리고 기다리던 사제동행 마라톤 날!
신청한 학생들과 선생님들이 함께하는 이 대회
는 불광천을 따라 한강공원까지 달리는 대(?)장
정이다. 출발 전, 우리는 특별히 제작된 마라톤
티셔츠를 받았는데, 귀여운 거북이가 그려져 있
었다. "느려도 괜찮아, 끝까지 함께 완주하자!"
라는 취지의 이 티셔츠는 그들 모두에게 중요한
메시지를 전해주었다. 마라톤 출발 신호가 울리
자, 체대 입시를 준비하는 아들이 앞서나가기
시작했다. 그 모습은 마치 올림픽 선수 같았다.
반면, 뒤에서 자전거로 쫓아가는 뺀질이 선생님
은 "난 무릎이 안 좋아서… 자전거로 ^^;;"
힘들면 걷기도 하고 뛰기도 하면서 모두가 결승
점까지 완주했다. 공원에서 한강을 바라보며 먹
었던 도시락은 꿀맛 그 잡채! 선생님들과 학생
들이 함께 한 그 시간 덕분에 사제 간의 정이
더욱 깊어진 느낌이다. 영원히 잊지 못할 추억이
되었다. 내년 대회가 벌써 기다려진다. 아듀~

## #14. 삼겹살 파티

아침부터 교무실 냉장고가 미어터졌다. 삼겹살 파티하는 반 아이들이 고기와 채소들을 냉장고에 가득 넣었다. 종례 후, 강당 계단은 고기 굽는 냄새로 진동했다. 귀신같이 삼겹살 냄새를 맡은 친구들이 좀비처럼 모여든다. 그들은 마치 무언가에 홀린 듯 불판 앞에 멈춰서 침을 흘리며 부러워하는 눈빛으로 바라봤다. "야, 한 입, 아니 고기 한 점만 주라."라고 말하는 친구들에게 "부러우면, 지는 거야."를 외치며 선심을 쓰는 아들들. 담임 선생님은 "여러분, 고기는 타이밍이 중요해요. 잘 구우려면 집중해야 합니다."라고 요리사처럼 진지하게 말씀하시는데, 그 모습이 정말 웃기면서도 멋있었다. 학교에서 친구들과 함께 먹는 삼겹살은 어느 고깃집보다 맛있다. 다들 입안 가득 삼겹살을 채우며 웃고 떠드는 모습이 참 행복해 보였다. 삼겹살 파티를 통해 더욱 돈독해지는 학급. 정말 잊지 못할 즐거운 시간이었다.

## #15. 새롬 교실

우리 학교 선도 프로그램 중 하나인 '새롬 교실'. 누가 이름을 지었는지 모르겠지만, 무섭다기보단 왠지 정이 가는 친근한 명칭에 거부감이 덜하다. 누적 벌점이 10점이 되면, 저승사자 같은 학생부 선생님이 득달같이 호출하신다. 새롬 교실은 벌을 주는 것이 목적이 아니라, 학교에 잘 적응할 수 있게 도와주는 프로그램이다. 아침에 교문에서 캠페인 활동을 하고, 점심시간에는 급식실에서 봉사활동을 한다. 친구들 앞에서 창피한 마음이 들 수도 있지만, 그래도 여러 봉사하는 일들을 통해 약간의 보람을 느껴보라는 취지다. 한 친구가 "처음엔 무섭고 힘들 줄 알았는데, 막상 해보니 할만한데요."라고 하며, 그래도 다시는 오고 싶지 않다고 한마디 거든다. 그래 그 마음이 중요한 거다. 학교 교칙을 지키는 것은 더불어 사는 사회에서 서로를 배려하고 존중하는 훈련을 하는 것이라는 점을 꼭 명심하길…

## #16. 재량 방학

기쁨 반, 당황 반. 학교에 출근하는 평일인데, 갑자기 쉬라니 이게 무슨 일인가? 재량 방학이란다. 할렐루야. 이건 마치 교사들에게 주어진 서프라이즈 선물이다. "앗싸! 연휴다. 우리 진짜 쉬는 거야?!" 금요일 아침, 커피 한 잔과 함께 시작하는 여유로운 시간, 이게 바로 천국이지. 밀린 업무도 잠시 내려놓고, "내일 일은 내일 염려하라"는 말씀처럼, '현재(present)' 내게 주어진 '선물(present)'을 만끽한다. 편안하게 앉아 좋아하는 책도 읽고, 넷플릭스 영화 감상 등등. 하지만 오늘은 자전거 라이딩이다! 재량 방학의 진정한 의미를 몸소 체험한다. 지혜로운 나무꾼은 쉴 때, 도끼날을 간다지 않나. 아들들아, 우리 모두 재충전하면서 함께 성장하자꾸나. 도약을 위한 쉼은 꼭 필요한 일이니, 다음 재량 방학을 손꼽아 기다리자. 어! 그러고 보니 진짜 꿀 같은 여름방학이 다가오네. 할렐루야~

## #17. 진로 체험

아침부터 아들들이 떨리는 손으로 아이돌 콘서트 티켓을 예매하는 것처럼 리로스쿨을 광클릭한다. '진로멘토특강' 신청하는 날, 이번엔 역사와 기후, 환경과 생태 감수성이 결합되는 최신 트렌드 이슈를 접할 수 있는 소중한 기회가 될 것이다. "이 아이들이 과연 어떤 미래를 꿈꾸게 될까?" 각기 다른 강좌들을 통해 자신만의 이야기를 만들어가고 있다. 강의를 들으며 다양한 반응들 속에서 느껴지는 아들들의 목소리에 담긴 진정한 체험의 가치. 방과 후라 피곤한 얼굴들이지만 눈빛은 어느 때보다 반짝인다. 진로 체험은 단지 하루의 이벤트가 아니다. 학생들에게 다가올 현실을 간접적으로 경험하게 하고, 자신의 꿈을 더욱 구체화하는 중요한 기회다. 이를 발판 삼아 더 큰 꿈을 꾸길 바란다. 그리고 그 꿈을 이루기 위해 노력할 수 있는 힘을 얻길 조용히 기도한다. 이 아이들이 꿈을 향해 나아갈 수 있는 용기와 지혜를 주소서. 아멘.

## #18. 소풍

라떼는(나 때는) 말이야, 소풍하면 무조건 서오릉에 갔었다. 유적지가 가깝다는 이유 하나만으로. 국민학교 시절부터 지겹도록 갔지만, 서오릉이 누구의 왕릉인지도 모르는 무식함이여. 아들들아 띵디쌤을 용서하지 마라. 그저 그늘에 앉아 도시락을 까먹고, 나무 밑에서 말뚝박기를 하며 한나절을 보냈었지. 하지만 세월이 흘러, 지금 너희들은 서울 시내 방방곡곡으로 흩어져 재밌고 뜻깊은 반별 체험학습을 하는구나.

부럽다. 어느 반은 국립중앙박물관, 또 다른 반은 경복궁. 이태원 참사 현장을 방문해 조문하는 시간을 가진 반까지⋯ 중간고사 기간에 갇혀 있던 몸과 마음이 봄바람처럼 자유롭게 날아오른다. 예나 지금이나 소풍의 묘미는 바로 서로의 마음을 나누는 것. 아들들아, 오늘 너희가 느낀 이 나눔의 즐거움이 오래오래 기억되길 바란다. 앞으로도 많은 경험을 통해 서로가 성장할 수 있게 되길.

## #19. 금연 캠프

제1회 금연 캠프가 생각난다. 그 이름도 찬란한 '지리산 등반'. 지금 생각해 보면, 미쳐도 단단히 미쳤었네,하고 웃어 넘겨보지만, 그때에는 모든 학생부 선생님부터 '으샤으샤' 무한도전을 외쳤다. 15명의 아들들과 함께 버스를 대절하여 머나먼 곳으로 떠났던 일이 어제 일처럼 생생하다. 담배 끊으러 갔는데 거기서 또 피우다 적발된 일부터 숨바꼭질하듯 화장실 곳곳에 담배를 숨겨 놓은 기상천외한 작전들이 전쟁터를 방불케 했다. 대자연의 맑은 공기를 폐 속 깊이 불어 넣기 위해 무조건 걸었다. 행군하듯이. 헐, 우리를 반겨주는 장대비까지! 몇 시간을 걷다가 탈진 직전에 가서야 버스를 불러 지리산 입구까지 올랐다. 비바람을 뚫고 구름 위에서 세상을 내려다보는 아이들. 무언가를 느끼고 이 산을 내려가길 바랄 뿐. 이제부터는 건강한 공기만 마시며 평생을 살아가렴. 너희들의 건강이 대한민국의 미래다. 아들들이 유혹을 이기고 건강한 삶을 살아갈 수 있게 도와주소서. 아멘.

## #20. 학생회를 이겨라

매 점심시간 전쟁이다. 스포츠 한마당 첫 경기부터 광탈한 한을 여기서 푼다는 각오로 '학생회를 이겨라!' 행사에 목숨을 건다. 작은 피구공 하나에 수십 개의 눈빛들이 초집중하며 살기를 내뿜는다. 체육관이 들썩들썩. 탄식과 함성이 교차하고, 아들들의 얼굴에는 열정과 긴장이 엇갈린다. "오늘은 우리가 주인공이다!"라는 당당한 표정과 함께. 공이 날아다니는 속도는 빛의 속도처럼 빠르고, 피하고 던지는 아이들의 모습은 마치 프로 선수 못지않다. 그들은 정말 최선을 다해 뛰었다. 드디어 결승전에 진출한 반이 결정되었다. 결승전 상대는 바로 학교의 자랑, 학생회 동아리팀이다. 학생회의 아우라는 무시무시하다. "학생회를 이겨라!"라는 대회의 이름이 주는 무게감이 더욱 실감 난다. 과연 승리팀은? 묻지마라. 결과가 중요한 것이 아니니. 최선을 다해 도전한 아이들에게 아낌없는 박수를 보낸다. 그들의 열정과 노력은 그 무엇보다 값진 것이기에. 우리 아들들 모두를 격려하고 축복한다.

## #21. 여름방학

드디어 오셨다. 내 님, 아니 우리 모두의 님이, 여름방학! 그 찬란한 이름만으로도 가슴을 뛰게 하는 마법. 너희들은 더 하겠지? 1학기 동안의 긴 여정을 마치고 마침내 다가온 재충전의 시간. 교실은 어느새 텅 비고, 복도는 고요하다. 교문을 나서는 아이들의 발걸음은 가볍다. 마치 새가 되어 하늘로 날아가는 것처럼 자유롭다. "방학 잘 보내세요, 선생님!"이라는 인사를 듣고 있자니 마음이 따뜻해진다. 너희들도 방학 잘 보내고, 건강하게 다시 만나자. 아들들아, 여름방학은 단지 쉬는 시간이 아니라, 새로운 에너지를 충전하는 시간이다. 모험을 하고, 배움을 즐기고, 친구들과 함께 시간을 보내며 너희들만의 소중한 추억을 만들어라. 주님, 여름방학 동안 안전하고 건강하게 인도해 주소서. 그리고 새로운 학기를 맞이할 때 더욱 성장한 모습으로 돌아올 수 있게 도와주소서. 아멘.

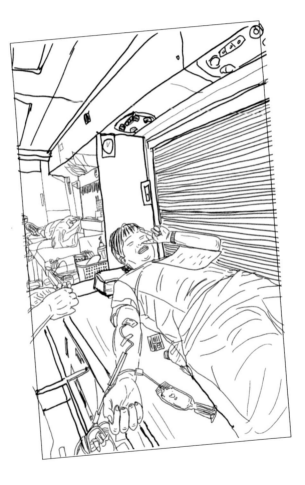

## #22. 헌혈

오늘은 연례행사, 헌혈의 날이다. 어김없이 찾아온 이 특별한 날은 학생들에게 사회적 책임과 나눔의 의미를 일깨워 준다. 아침부터 주차장에는 헌혈 버스가 도착해 준비를 마치고 있다. "선생님, 저 헌혈 처음 해봐요. 좀 무섭지만, 해볼게요!"라고 말하는 아들의 얼굴에는 긴장과 설렘이 가득하다. 아들들아, 너희들이 하는 헌혈은 누군가의 생명을 구할 수 있는 아주 귀한 일이니, 두려워 말고 담대하게 나누어라. 헌혈을 마친 학생들은 마치 큰일을 해낸 듯한 표정으로 버스를 나선다. 선물로 받은 초코과자와 음료수, 영화티켓 등을 자랑한다. 작은 보상이지만, 그들에게는 큰 의미로 다가오는 듯하다. 오늘 너희들이 보여준 용기와 나눔의 정신에 정말 감사하고 자랑스럽구나. 헌혈은 단지 피를 나누는 것이 아니라, 사랑과 생명을 나누는 일이니, 앞으로도 평생 나눔의 마음을 잃지 않기를. 우리의 작은 헌신이 누군가에게는 큰 희망이 되길 기도합니다. 아멘.

## #23. 가을운동회

몇 년 전, 심신이 지친 선생님과 학생들을 위해 사제동행 운동회를 계획했었다. 파란 가을 하늘 아래, 그날 하루는 공부 대신 모두가 함께 뛰고 웃고 즐기는 날이었다. 아이들의 얼굴에는 기대와 흥분이 가득하다. 그들의 에너지와 열정이 나에게도 고스란히 전해진다. 그날의 하이라이트는 역시 반별 계주, 이어달리기다. 각반 대표 아들들이 바통을 손에 쥐고 출발선에 선다. 앞서거니 뒤서거니 하며 기차처럼 질주하는 모습 속에서 아이들 몸 안에 응집된 에너지의 폭발력을 느낀다. 선생님들의 단체 줄넘기 경기도 손에 땀을 쥐었다. 처음 연습할 때는 다섯 번을 못 넘더니, 실전에 들어가니까 언제 그랬냐는 듯 수십 개를 성공시켰다. 역시 선생님들의 승부욕이란, 못 말려! 오늘 아들들이 보여준 열정과 협동심에 큰 박수를 보낸다. 운동회는 단지 승패를 가리는 것이 아니라, 함께하는 즐거움을 나누는 시간이다. 오늘 하루, 선생님도 너희들과 함께 즐길 수 있어서 정말 행복했다. 사랑한다.

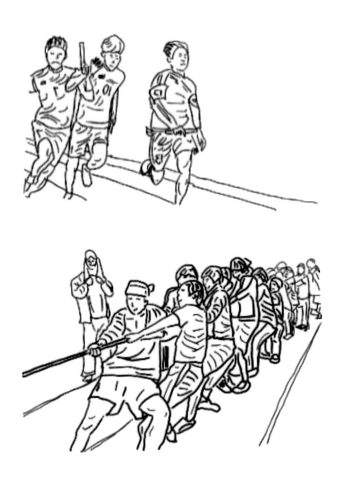

## #24. 수학여행

고등학교 시절의 꽃, 수학여행 날이 밝았다. 비행기를 처음 타는 아이들을 놀리면서, "비행기에서는 신발 벗고 타는 거 알지?"하니, 벌써 검색을 통해 다 알고 있다는 듯 미소 짓는다. 제주 2박 3일 동안 아들들과 함께하는 여행은 나에게도 큰 기대와 설렘을 안겨준다. 제트보트를 타고 신나게 달리면서 저 멀리 보이는 한라산을 바라보며, 아이들은 대자연의 경이로움을 몸소 체험한다.

수학여행의 하이라이트는 역시 숙소에서의 밤이다. 친구들과 게임도 하고, 야식도 시켜 먹으면서 학업 스트레스로 지친 몸과 마음을 힐링하는 시간이다. 아! 10년 전에는 반 아이들과 바닷가에 가서 입수도 하고 신나게 놀았는데, 요즘은 안전사고 문제로 그렇게 하기 어려운 점이 너무나도 아쉬웠다. 아들들아, 함께한 시간 동안 배운 것들과 느낀 것들을 마음속에 잘 간직하렴. 여행을 통해 우리는 더 가까워졌고, 새로운 경험을 쌓았다. 앞으로도 많은 여행을 통해 세상을 넓게 보고, 더욱 성장할 수 있게 되길…

## #25. 수능

드디어 수능 날이 밝았다. 초등부터 고등 3년 동안 준비해 온 우리 아들들이 마지막 결실을 맺는 날이다. 물론 진학이나 취업, 군대까지 많이 남아있지만, 지금은 오롯이 수능에 집중할 때다. 이른 아침부터 학교 앞은 수험생을 응원하는 가족들과 후배들로 가득 찼다. "얘들아, 지금까지 해온 만큼만 하면 돼. 최선을 다하고 오면 그걸로 충분해. 그리고 무엇보다, 자신을 믿어야 한다!" 시험 시간이 시작되고, 나는 우리 학교 시험본부에서 시험 답안지를 검수한다. 하루 종일 이어진 시험이 끝나고, 타 학교 아이들이 모두 돌아가고 정적만이 교정에 흐른다. 오늘 하루, 아들들이 보여준 열정과 노력에 큰 박수를 보낸다. 수능은 그들의 인생에서 하나의 과정일 뿐, 모든 걸 결정짓는 것이 절대 아님을 기억하렴. 아들들아, 너희들의 미래는 지금부터가 진짜 시작이다. 선생님은 언제까지나 너희들을 응원하고 지지할 거다. 고생 많았다.

## #26. 축제

우리 아들들이 손꼽아 기다리던 축제 날이 밝았다. 매년 참신한 아이디어와 재미로 흥행 대박, 입소문이 자자한 '참랑마당&어울마당'이 열리는 날이다. 아침부터 학교는 들뜬 분위기로 가득 차 있었다. 교실에는 각종 동아리 부스가 설치되고, 무대는 화려한 조명과 음향 장비로 준비를 마쳤다. 나도 덩달아 흥분되어 선생님들과 학교 곳곳을 누비며 축제를 즐겼다. 체육관 먹거리장터에서는 학부모님들의 수고로 맛있는 음식들이 단돈 천 원에 판매되고 있다. 축제 하이라이트인 무대 공연. 화려한 댄스와 밴드 공연, 치어리딩까지. 대학생 뺨치는 실력에 입이 쩍 벌어지며 함성 소리가 강당을 가득 채웠다. 여학생만 보면 환장하는 남고생의 풋풋한 순정이 이번에도 여지없이 확인되었다. 하긴 나도 남중고 모태솔로 출신이니 할 말이 없긴 하다. 너희들의 재능을 마음껏 펼치고, 서로를 존중하며 함께 성장할 수 있게 되길. 오늘의 이 행복한 기억이 오래도록 남아 힘이 되길 소원한다. 내년에도 화이팅!

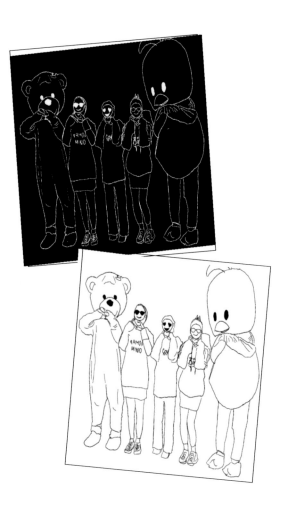

## #27. 겨울방학

겨울방학이 다가온다. 1년이 어떻게 지나갔는지 모를 정도로 빠르게 흘러갔다. 아이들과의 수많은 추억이 떠오르고, 그 추억 속에서 자라난 성장이 엿보인다. 1년 동안 우리는 많은 일을 겪었다. 새로운 친구들과 선생님들을 만났고, 크고 작은 행사를 함께 준비하며 웃고 울었다. 하지만, 이 시간이 지나가는 것이 아쉽기만 한 것은 아니다. 아이들이 더 많은 것을 경험하고, 더 많은 것을 배워가길 바라는 마음이 더 크다. 겨울방학은 단순한 휴식의 시간이 아니라, 새로운 도전을 위한 재충전의 시간이다. 아이들과 함께 했던 모든 순간이 소중하고, 그들의 성장이 너무도 자랑스럽다. 그리고 내년에도 또다시 새로운 시작을 함께할 생각에 가슴이 설렌다. 물론 훈련소 조교가 된 쓸쓸한 기분도 들지만 말이다. 아들들이 겨울방학 동안 안전하고 건강하게 지낼 수 있도록 지켜주시고, 다시 만날 때, 더 성숙하고 성장한 모습으로 돌아오기를 기도합니다. 빈 교실이여, 아듀~

## #28. 졸업식

진짜 마지막이다. '졸·업·식'. 3년 동안 함께했던 아들들이 오늘, 이곳을 떠나 새로운 길로 나선다. 그들의 눈에는 서운함과 기대가 교차한다. 졸업식장은 축제의 분위기와 아쉬움이 뒤섞여 있다. 3년 전, 처음 만났을 때의 아이들이 떠오른다. 어리바리하고 호기심 가득한 눈빛으로 교실에 들어서던 모습이 엊그제 같은데, 어느새 이렇게 훌쩍 자랐다. "선생님, 고맙습니다. 그동안 고생 많으셨습니다."라고 말하는 아이들에게 "아들들아, 너희가 진짜 고생 많았다. 이제 최고의 대학인 '군대' 가야지?"하며 농을 던진다. 그들은 각자 새로운 길을 향해 나아가지만, 그동안 함께했던 시간들은 언제나 마음속에 남아있을 것이다.

아들들의 새로운 시작을 응원하며 마음속으로 기도한다. 주님, 아들들이 새로운 길에서도 항상 건강하고 행복할 수 있도록 지켜주시고, 어떤 어려움이 닥쳐도 굴하지 않고 이겨낼 수 있는 용기를 주소서. 그리고 이곳에서의 추억이 그들의 삶에 든든한 힘이 되게 하소서. 아멘.

## GPTs '작가 띵디쌤'이란...

2023년 11월 초 챗GPT에 적용된 신규 기능. GPTs는 챗GPT 유저가 직접 챗GPT를 특정 목적에 맞게 커스터마이징해서 만든 챗봇을 통칭하는 용어다. GPTs는 별도의 코딩 지식이 없어도 챗GPT 대화창에서 간단한 채팅 명령을 통해 만들 수 있다. 간단한 챗봇은 생성에 5분도 걸리지 않는다. 2023년 12월 기준, GPTs를 만드는 기능은 챗GPT Plus(유료 버전)에서만 제공되며, 다른 사용자가 만든 GPTs를 사용하는 것도 유료 버전에서만 가능하다.

띵디쌤 저서 17권(2024 기준)을 학습시켜 만든 띵디의 완벽한 개인비서이자 영혼의 글쓰기 아바타다.

## 띵디쌤 그림일기

발  행 | 2024년 6월 6일
저  자 | 띵디쌤
펴낸이 | 한건희
펴낸곳 | 주식회사 부크크
출판사등록 | 2014.07.15.(제2014-16호)
주  소 | 서울특별시 금천구 가산디지털1로 119 SK
　　　　트윈타워 A동 305호
전  화 | 1670-8316
이메일 | info@bookk.co.kr

ISBN | 979-11-410-8737-1